Le bulldozer amoureux

Le bulldozer amoureux

MARIE-ANDRÉE BOUCHER-MATIVAT

Illustrations:
GENEVIÈVE CÔTÉ

Données de catalogage avant publication (Canada)

Boucher-Mativat, Marie-Andrée - 1945
  Le bulldozer amoureux

(Collection Libellule)
Pour enfants.

ISBN 2-7625-4018-6

I. Côté, Geneviève.   II. Titre.   III. Collection.

PS8576.A84B84 1988 jC843'.54   C88-096353-0
PS9576.A84B84 1988
PZ23.M37Bu 1988

Conception graphique de la couverture : Bouvry Designer Inc.
Illustrations : Geneviève Côté

Dépôts légaux : 3e trimestre 1988
Bibliothèque nationale du Québec
Bibliothèque nationale du Canada

ISBN : 2-7625-4018-6   Imprimé au Canada

Photocomposition : DEVAL STUDIOLITHO INC.

LES ÉDITIONS HÉRITAGE INC.
300, Arran, Saint-Lambert, Québec J4R 1K5
(514) 875-0327

Brutus

Brutus vit dans un parc industriel, à trois pas d'une banlieue pleine de jolies maisons entourées d'arbres et de fleurs.

Mais, habituellement, il ne s'attarde pas à contempler le paysage : son métier à lui, c'est la démolition.

Brutus est un bulldozer. Cinq tonnes de muscles d'acier, la force de soixante chevaux, une brave machine appliquée dans son travail.

Rien ne lui résiste. D'une poussée vigoureuse de sa pelle, il comble une rivière. D'un coup solide, il flanque par terre une maison tricentenaire. On lui dit de raser : il rase. Peu importe ce qu'il écrabouille sous ses énormes chenilles.

Pour lui une seule chose compte : à cinq heures, lorsque la sirène du chantier pousse son hurlement, la place doit être nette, le chemin rectiligne, la butte nivelée.

Alors il rentre au garage, éteint son moteur et s'endort en rêvant de villes en ruines ou de routes à tracer dans la jungle.

Jusqu'ici, Brutus ne s'est jamais fait beaucoup de mauvaise huile. Longtemps même il a été fier de l'ouvrage accompli.

Grâce à lui, on construit du neuf, du propre, du betonné sur mesure. Les tours de cent étages, les beaux terrains de stationnement asphaltés, c'est ça le progrès !

Pourtant, tous ne semblent pas partager cet enthousiasme ! Un jour, des enfants lui ont lancé des cailloux, tandis que des manifestants tentaient

de lui barrer le passage aux cris de : « Arrêtez les démolitions sauvages ! À bas les spéculateurs ! »

Brutus n'y a rien compris et depuis, un gros boulon lui serre le coeur : il a l'impression que personne ne l'aime.

La solitude

Si Brutus peut, à la rigueur, supporter l'antipathie des gens, il redoute par-dessus tout l'isolement des vacances de la construction.

Comme il n'a pas d'amis, ces deux longues semaines à se rouiller les vérins au fond d'un garage prennent des allures de cauchemar!

Aussi, au lieu de rester là à se tourner le volant, il va se promener par la ville, juste pour voir s'il n'y aurait pas, quelque part, un pan de mur branlant à jeter par terre ou un petit boisé où il pourrait jouer à déraciner les arbres.

Ainsi, un dimanche, il se retrouve aux abords du Parc olympique. L'endroit est presque désert. Le stade, vidé de sa foule bruyante, ressemble à un immmense coquillage rejeté par la mer.

Brutus fait le tour du bâtiment.

Il s'arrête au pied du mât. À cette époque, celui-ci n'est pas encore achevé et deux grues le flanquent, telles de gigantesques béquilles.

Personne ne travaille sur le chantier. Brutus remarque alors un bulldozer de type chargeuse-pelleteuse qui se fait bronzer, le godet grand ouvert devant lui comme une gueule armée de crocs redoutables.

Il décide d'aller lui serrer la pince et faire un brin de causette avec lui.

— Salut! En congé toi aussi? Quel ennui les vacances, hein? Vivement la rentrée! Moi, j'en ai déjà des fourmis dans le barbotin…

L'autre, confortablement installé sur son tas de sable, ne daigne même pas le saluer d'un clignotement de ses feux rouges.

— Fiche-moi la paix et ôte-toi de mon soleil, tu me fais de l'ombre! fait-il, agressif.

D'acier, Brutus ne se laisse pas démonter et, poliment, il lui pose quelques questions sur son modèle et la puissance de son moteur.

L'insolent lui tourne le dos, pétaradant de toutes ses entrailles ; ce qui, dans son langage, signifie : Si tu ne quittes pas cet endroit immédiatement, je te fais avaler ta plaque d'immatriculation!

Cette fois, Brutus se fâche. Il abaisse sa lame. Les deux colosses de métal reculent, puis s'élancent l'un vers l'autre à la folle vitesse de 10 kilomètres à l'heure…

Bang! Au premier choc, Brutus voit trente-six bougies mais ne cède pas un pouce de terrain.

Son adversaire, complètement en accordéon, prend la fuite, boitillant sur ses roues faussées et klaxonnant qu'il se vengera.

Première rencontre

Brutus se retrouve à nouveau seul. Quelle déception! Il aurait tant voulu se faire des amis. Décidément, les autres machines ne se laissent pas facilement apprivoiser. Et cette bagarre, quelle stupidité!

Au retour, il devra passer au moins deux heures à l'atelier de débossage avant de pouvoir reprendre le travail.

Depuis un moment, le soleil joue à cache-cache derrière les gratte-ciel du quartier des affaires. La nuit va bientôt tomber.

Brutus n'a pourtant pas envie d'aller s'enfermer de nouveau dans la triste solitude de son abri. Il s'éclipse à l'angle d'une rue déjà obscure.

Brutus a le sentiment que la ville entière l'ignore, le rejette. Le moteur hoquetant, il va à l'aveuglette, se heurtant aux poubelles qu'il renverse sur son passage.

Où aller? Où trouver enfin un ami?

Traînant des chenilles, Brutus se retrouve ainsi dans un quartier inconnu, à l'autre bout de la ville.

L'air y est plus vif et les constructions, plus rares. Soudain, dans le noir, il croit entendre une voix :

— Psttt! Par ici!

Brutus fouille les ténèbres de ses phares.

Il ne voit rien.

— Venez! Venez donc! Approchez!

— Qui… qui êtes-vous? bredouille Brutus.

C'est alors qu'il l'aperçoit. C'est une maisonnette! Une mignonne demeure habillée de lierre, coiffée d'un pignon sculpté, des fleurs à chaque fenêtre.

Oui, c'est elle qui lui parle! Incroyable!

Brutus n'a jamais rien vu de semblable.

— Bonsoir! Je vous observe depuis un moment derrière mes volets. Vous avez l'air perdu et tellement… triste!

— C'est que…

— Je ne veux pas être indiscrète. Ne croyez surtout pas que j'ai l'habitude d'adresser la parole à tous les inconnus qui passent devant ma porte. Mais, ce soir, je me sens particulièrement isolée sur cette colline...

— Ah! vous aussi...

Alors Brutus raconte son travail, ses rêves, et surtout sa profonde solitude.

La petite maison écoute de toutes ses ouvertures et, pour la première fois de son existence de bulldozer, Brutus se sent enfin compris.

Comme la soirée est bien avancée, la petite maison lui propose l'hospitalité de son garage.

Brutus accepte et passe ainsi la nuit entière blotti contre elle. Les murs sont chauds. La serrure solide. À un moment, il entend même de la musique. Du piano. Sans savoir pourquoi, il a l'intime conviction que cette musique est pour lui.

Brutus garde ses feux de position allumés toute la nuit.

Il réfléchit.

À l'aube, sa décision est prise : il partira loin. Très loin...

Sans bruit il ouvre le garage. La petite maison dort, volets fermés, porte close.

Quelle est jolie! Il voudrait la remercier, mais n'ose pas. Confus, troublé, les pistons à l'envers, il s'éloigne lentement.

Par les rues endormies, il gagne la campagne et de là, la forêt. La forêt où il s'enfonce droit au nord dans l'espoir de trouver un chantier lointain où il pourra peut-être se lier d'amitié avec des bulldozers comme lui, un monde où il se sentira vraiment accepté.

EN ROUTE

Brutus roule longtemps par monts et par ravins, de brûlis en savanes, semant malgré lui la panique au milieu des terrains de camping, exécutant de menus travaux dans les stations-service en échange de quelques litres d'essence.

Il se perd, s'enlise, érafle sa peinture aux épines des ronciers, avale des nuées de maringouins et dort sur des lits d'aiguilles de pin.

Pourtant, pas une seule fois il ne s'ennuie.

Au contraire, les beautés de la nature le ravissent et il se prend à rêver au bord des lacs embrumés. Le matin, éveillé par les oiseaux, il a soudain envie

de composer des chansons où rimeraient tour à tour « petite maison fleurie aux boiseries vernies » rimerait avec « gros bulldozer timide et solitaire ».

Il se sent alors ragaillardi au point d'avoir le goût de soulever des montagnes… bref, de travailler !

Les bulldozers sont comme ça : travail, travail. Ils finissent toujours par en revenir là.

Brutus propose donc ses services à une famille de castors affairés à la construction d'un barrage. Il s'élance à l'eau, noie son moteur et doit se dégager péniblement de la vase.

Moqueurs, les castors rient de lui à pleines dents :

— Quand tu sauras nager et battre de la queue comme nous, repasse nous voir !

Pas plus de succès auprès de l'orignal à qui il offre pourtant de ceinturer son lac d'une autoroute. Brutus s'en tire avec un méchant coup de sabot.

Seul un ours noir, assis sur ses fesses, le museau barbouillé de bleuets, lui témoigne un peu de sympathie.

— Tu perds ton temps ici, dit l'ours. Continue plus au nord. C'est plein de machines comme toi. Il paraît qu'elles veulent dompter les rivières. Quelle folie ! Autant vouloir mettre le vent en cage !

Brutus continue donc à remonter vers le nord.

Il fait plus froid.

Bouleaux, épinettes noires rabougries, tourbières, pendant des kilomètres et des kilomètres Brutus ne voit rien d'autre.

Un horizon sans fin.

Mais où est ce chantier dont a parlé cet ours menteur?

Brutus ronchonne :

— Et dire que je vais bientôt avoir le réservoir à sec.

C'est alors que le vent lui apporte une odeur familière : un délicieux parfum de monoxyde de carbone et d'huile.

Il accélère.

Et soudain, le chantier est là, juste devant lui!

Un chantier comme il n'en a jamais vu. Une fourmilière de camions géants! Le roc creusé à la dynamite! La poussière! Un bruit d'enfer!

Brutus s'exclame :

— Le paradis! Je suis arrivé au pays des bulldozers. Ici je serai enfin apprécié!

À la Baie James

— Hé! toi, là-bas, hurle une voix. Tu n'as pas fini de bayer aux corneilles? Au travail! Au travail!

Brutus n'a pas le temps de fournir la moindre explication, il est déjà entraîné dans le tourbillon de toutes ces machines fouillant la terre comme une armée d'insectes géants.

Ah! quel plaisir de se sentir enfin utile! Il fonce à droite, vire à gauche, coupe la route des camions lourdement chargés qui l'injurient à coups d'avertisseurs.

Emporté par sa fougue, il vient tout près de renverser une rangée entière de maisons mobiles. Dans sa manoeuvre pour éviter la catastrophe, il enfonce la cantine et en ressort couvert de spaghettis.

Heureusement, il n'y a aucun blessé.

Brutus est aux anges et, inconscient du danger, s'apprête à culbuter une pile de caisses d'explosifs lorsqu'une énorme pelle hydraulique lui met le grappin dessus :

— Hé! Le jeune, que fais-tu là?

— Je me détends un peu. Pourquoi?

— Eh bien, ici ça n'est guère l'endroit pour s'amuser. Tu es à la Baie James. On construit un grand barrage. On a une centrale à creuser dans le roc et dix-huit millions de tonnes de cailloux à déplacer. De quoi édifier sept grandes pyramides! Alors tu cesses tes bêtises ou tu vas au pôle Nord demander au père Noël s'il n'a pas besoin de toi pour déblayer son entrée.

Brutus retrouve son sérieux habituel. Il s'aperçoit vite que pour gagner sa ration de combustible il devra trimer très dur.

Samson et Malabar

Les températures arctiques, la glace qui colle les tuiles des chenilles au sol, la neige qui vous ensevelit jusqu'au toit de la cabine, rien n'est épargné à ce pauvre Brutus.

Pourtant il n'abandonne pas.

Mieux, cette rude existence lui apporte bientôt des plaisirs tout neufs.

En effet, au poste de ravitaillement, où il doit se présenter quotidiennement afin de toucher ses cent litres réglementaires de carburant, il fait la connaissance de GOLIATH et de MALABAR, deux bulldozers d'un modèle nouveau, donc un peu plus jeunes que lui.

Tout d'abord, ils n'échangent que les banalités classiques sur la météo et les petits matins sous zéro qui leur enrouent le moteur.

Très vite cependant, ils prennent plaisir à ces rencontres et deviennent inséparables. Ils font maintenant équipe et, le travail terminé, collés l'un contre l'autre sur le vaste terrain de stationnement du matériel lourd, ils bavardent jusqu'à ce que la fatigue les engourdisse.

Et puis, il y a les jours de congé ! Vous devriez les voir tous les trois : de vrais farceurs !

Ils s'amusent à qui roulera la plus grosse boule de neige ou à construire des forts de blocs de glace qu'ils font s'écrouler ensuite d'une pichenette, chantant en choeur :

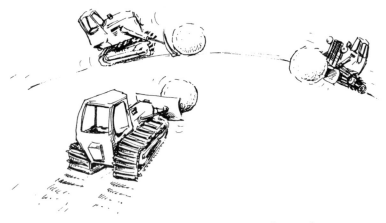

Un bulldozer, ça fonce, ça fonce !
Un bulldozer, ça fonce énormément !

Un moteur qui manque d'huile
C'est bien imbécile,

Mais c'est moins idiot
Qu'un radiateur qui manque d'eau !

Deux bulldozers, ça fonce, ça fonce !...

Brutus est heureux. Il a enfin trouvé de véritables amis. Des amis à qui se confier. Des amis à qui, de bavardages en confidences, il finit par parler de *la petite maison*.

Au début, Goliath et Malabar se moquent de lui. Mais, de peur de le blesser, ils cessent rapidement leurs taquineries et en viennent même à souhaiter être à sa place.

— Brutus, raconte-nous comme ELLE est belle...

Ainsi, pendant un an, sur les digues, dans les tunnels, Brutus besogne comme un forcené. C'est pourquoi, le soir venu, point n'est besoin de le bercer en chantant « fais dodo Brutus ». Quelques mots à ses amis et il s'endort aussitôt... il rêve...

À qui? À elle, bien sûr... si menue, si délicate.

Puis un jour, c'est la fermeture du chantier et l'inauguration du barrage.

Hommes d'État, journalistes, cordons de police, drapeaux qui claquent au vent, tout est en place. Bien astiqués, les bulldozers eux aussi assistent au spectacle. Le Premier ministre arrive en hélicoptère, serre des mains, coupe le ruban et abaisse finalement la manette mettant en marche les turbi-

nes. Il y a des photos, des discours et encore des discours…

Brutus n'y prête guère attention. Il admire surtout le travail accompli, écoutant avec ravissement la musique des lignes à haute tension bourdonnant tel un essaim d'abeilles.

Comme il est fier! Ah! si la petite maison pouvait le voir!

Très tôt, le lendemain, il entreprend de refaire, à l'envers, le long trajet qui l'a mené jusqu'à la Baie James.

Mais, cette fois, Brutus n'est plus seul. Il a trouvé dans le Nord deux amis épatants. En leur compagnie, la route le séparant de la petite maison lui paraîtra sûrement moins longue.

Les retrouvailles

Le coeur en fête, Brutus revient donc à la ville.

Sa première pensée est évidemment pour la maisonnette. Où est-elle?

Il ne se rappelle ni la rue, ni le quartier. Il cherche mais ne trouve pas.

De leur côté, Goliath et Malabar viennent de répondre à une petite annonce où l'on demandait les services de deux jeunes bulldozers ambitieux possédant une solide expérience.

Brutus doit donc se résoudre à les quitter.

— N'oubliez pas, leur lance-t-il, amis un jour, amis toujours! Si l'un appelle au secours, les deux autres accourent!

Tous approuvent, puis, tristement, se séparent.

Brutus poursuit seul ses recherches pour retrouver la petite maison.

Au bout de quelque temps, il est à nouveau menacé de panne sèche et doit, à contrecoeur, accepter un petit emploi.

Le premier jour, le contremaître vient vers lui et, d'un ton bourru, lui explique la besogne.

— C'est facile, tu verras. Il s'agit juste de faire disparaître discrètement quelques bicoques. Elles seront remplacées par un immense complexe immobilier. Une affaire qui rapportera des montagnes de gros sous!

Brutus, reculant de surprise, manque de casser son embrayage. Désormais, il n'a plus la pelle aussi démolisseuse, surtout si le sort d'une maison est en jeu!

Brutus regrette d'avoir accepté ce travail. Mais, comment faire autrement? Il a absolument besoin d'une vidange d'huile et d'un nouveau filtre à air. Il se résigne donc à accomplir son devoir jusqu'à la dernière motte de terre.

Maussade, il se met à la tâche.

Murs éclatés, toitures arrachées, en un clin d'oeil l'endroit n'est plus qu'un amas de décombres.

Autrefois, un tel paysage l'aurait rempli d'aise.

Aujourd'hui, devant ce champ de ruines, il se sent tout drôle !

Reste encore à raser, au sommet de la colline, une maison cachée derrière un bosquet de lilas.

Brutus grimpe vers elle, soufflant des bouffées de fumée noire.

Il est bien décidé à en finir rapidement.

Il s'arrête à mi-pente, fait gronder son moteur deux ou trois fois afin de réunir le maximum de puissance, puis, griffant le sol rageusement, s'élance à toute vapeur...

Or, à cet instant précis, il entend parler...

Une voix familière lui crie :

— Ôtez vos sales pattes de mon jardin, vous ne voyez pas que vous piétinez mes roses !

Brutus s'étouffe d'étonnement !

C'est elle ! Oui, c'est la jolie maisonnette !

Aucun doute possible.

Coup de foudre

Confus, Brutus s'excuse et recule son énorme masse de fer en deçà du muret qui entoure la maisonnette.

Il bafouille.

— Pardonnez-moi… J'ai reçu l'ordre de… démolir les maisons du secteur, mais j'ignorais qu'il s'agissait de vous!

Un long frisson parcourt la maisonnette, de la lucarne du grenier jusqu'à la boîte aux lettres de l'entrée.

— Mais pourquoi? Je ne suis pas si vieille!

Et elle se met à verser des flots de larmes par tous ses robinets. Une vraie inondation!

Brutus ne sait plus à quel mécanicien se vouer. Il s'approche au ralenti et la rassure de son mieux.

— Ne craignez rien. Je ne vous ferai pas de mal… Mon nom est Brutus, vous ne vous souvenez pas de moi? Vous m'avez abrité l'année dernière… Depuis, je n'ai cessé de penser à vous. J'ai tant désiré vous revoir!

Pauvre Brutus. Il est tout chaviré. Que lui arrive-t-il? D'où lui vient cette soudaine éloquence?

C'est que Brutus la trouve rudement jolie, la petite maison! Plus jolie encore que dans son souvenir! Tellement jolie que, juste à la regarder, son moteur se met à cogner et son radiateur à bouillir.

Bref, Brutus est amoureux. Amoureux de tous ses rivets. Amoureux à en klaxonner au clair de lune!

À quelques pas de là, s'étend un terrain couvert de fleurs des champs. Il s'y dirige et, d'une seule pelletée, arrache une tonne de marguerites qu'il dépose délicatement devant le perron de la maisonnette.

— Je vous aime, murmure le mastodonte en ronronnant comme une armée de gros chats.

La jolie maisonnette ne répond pas. Néanmoins,

cet hommage de poids ne doit pas lui être indifférent car sa girouette se met à tournoyer en tous sens.

Brutus passe la nuit aux côtés de sa belle. Même s'il ronfle abominablement, elle fait mine de ne rien entendre...

Le lendemain, en ouvrant ses fenêtres, elle le salue d'un tendre «bonjour Brutus!»

Heureux, celui-ci étire ses bras mécaniques en poussant un long soupir de satisfaction.

Ils causent longtemps. Lui, des grands barrages sous la neige et des nuits glaciales passées là bas, à la belle étoile. Elle, de ses parquets frais cirés et de son petit boudoir rose qui est sa pièce la plus accueillante.

Tout les sépare. Pourtant, ils ne se trouvent que des points communs. Elle, se découvrant une brusque passion pour les systèmes hydrauliques et les réglages de soupape. Lui, avouant candidement qu'au fond il a toujours rêvé d'être un piano à queue trônant au milieu d'un salon moelleux.

L'affrontement

Leur lune de miel a bien duré deux semaines… jusqu'à ce que les autres s'en mêlent. Les autres, c'est le reste de la machinerie du chantier de démolition.

Des jaloux. Des gratte-sol sans envergure, l'accusant de faire obstacle au progrès !

Un bulldozer amoureux ! Il a sûrement le carburateur fêlé. Voyons, une machine ne peut avoir de coeur. On doit le chasser, l'envoyer à la ferraille !

Avec la ferme décision de faire cesser ce scandale, une horde d'engins menaçants se met donc en route aux premières lueurs de l'aube.

Béliers, grues, concasseuses, c'est un véritable déferlement d'acier !

Et qui est à la tête des meneurs? On l'a deviné : La pelleteuse du Stade olympique, celle qui s'est

promis de faire payer à Brutus son humiliante raclée!

Celui-ci, éveillé par les premiers grondements, comprend aussitôt le danger et démarre en trombe.

Chargeant de toute sa puissance, Brutus a une conduite digne des anciens chevaliers. Les grues autour de lui font tournoyer leurs boules de béton, telles des fléaux. Les pelles mécaniques cherchent à le mordre de leurs formidables mâchoires. Les béliers lui cabossent le corps...

Au milieu de la fumée c'est un véritable... massacre. et plaques broyées, verre pilé, caoutchouc brulé, Brutus résiste à tous les coups.

Le soir venu, les assaillants furieux se regroupent pour une charge ultime.

Le combat reprend, confus, terrible!

Encerclé, Brutus frappe au hasard. Il faiblit peu à peu et va céder sous le nombre lorsqu'il perçoit un flottement dans le camp adverse.

Que se passe-t-il?

Brutus se redresse. À travers le brouillard, il repère deux silhouettes familières : deux bulldozers audacieux qui s'ouvrent hardiment un passage au milieu de la mêlée.

Les rangs de l'adversaire s'éclaircissent. Plusieurs combattants, dont l'infâme pelleteuse, battent déjà en retraite. Victoire!

Incrédule, Brutus éclabousse son pare-brise d'une giclée de lave-vitre. Il ne rêve pas!

C'est bien eux! Goliath et Malabar!

Prévenus des événements et fidèles à leur serment, ils ont accouru en hâte pour porter secours à leur ami.

Le klaxon enroué, Brutus les remercie.

Quel bonheur de les retrouver!

Pourtant... une pensée le tourmente : La petite maison, toute seule, doit trembler d'inquiétude sur ses fondations, toute seule là-haut...

Malabar lui flanque une bourrade amicale.

— Alors, toujours amoureux?

Brutus toussote, gêné. Goliath le tire d'embarras :

— Écoute, Brutus, nous sommes désolés de ne pouvoir rester plus longtemps. Nous devons retourner au chantier si nous voulons être d'attaque demain matin. Va vite retrouver ta belle, elle a sûrement besoin d'être rassurée sur ton sort. Nous passerons bientôt vous voir.

Brutus, reconnaissant, les salue, hésite un instant, puis fait demi-tour pendant que ses compagnons s'éloignent en jouant par leurs tuyaux d'échappement :

Deux bulldozers ça fonce, ça fonce !...

Épilogue

Il fait nuit.

Brutus est plutôt mal en point ! Une de ses chenilles traîne à terre et un de ses phares ayant été arraché, c'est à tâtons qu'il doit ramper vers sa bien-aimée qui l'appelle du haut de la colline.

— Brutus, mon cher Brutus êtes-vous blessé? Répondez-moi, je vous en supplie...

Quand elle constate dans quel état il est, elle en perd presque son numéro de porte.

Elle le soigne.

Il guérit.

Quelques jours plus tard, les constructeurs ayant fait faillite, le chantier est abandonné.

Des années se sont écoulées…

L'herbe a repoussé entre les ruines. Les broussailles ont recouvrent les carcasses des machines abandonnées.

Peu à peu, on a oublié le bulldozer et sa belle. Même les visites de Goliath et de Malabar se sont faites plus rares.

Nos amoureux ne s'en plaignent point. Brutus, habillé de vigne vierge, peut enfin réaliser son rêve le plus secret : écrire de la musique.

La dernière fois qu'on l'a vu, il achevait un concerto pour klaxon italien et moteur à quatre temps.

Quant à la petite maison, elle restait là, à l'écouter, du soleil plein les vitres, applaudissant chaque mélodie à grands claquements de portes…

Table des matières

L'auteure
Marie-Andrée Boucher-Mativat rêve depuis toujours d'habiter une maison ancienne. Mais elle s'inquiète des nombreuses démolitions effectuées dans certaines villes : le jour ou ses économies lui permettront enfin de se procurer la maison rêvée, y en aura-t-il au moins une encore debout ?

Pour conserver son espoir, elle a imaginé un monde où les bulldozers eux-mêmes succombent aux charmes envoûtants de ces vieilles demeures.

Marie-Andrée Boucher-Mativat est co-auteure avec son mari, Daniel, de **Ram le robot,** de **Dos-Bleu, le phoque champion** et de **La pendule qui retardait,** tous publiés aux éditions Héritage.

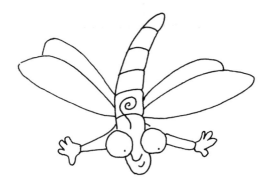

L'illustratrice
Geneviève Côté est diplômée en arts graphiques.

Toute petite elle écrivait, pour le simple plaisir de pouvoir les illustrer, des histoires décousues dont l'héroïne était une souris sans queue.

Elle illustre maintenant les très belles histoires des autres et découvre avec plaisir que les bulldozers et les souris ont de nombreux points en commun...

La collection Libellule propose aux lecteurs de sept ans et plus de brefs récits et de petits romans palpitants écrits par des auteurs qui connaissent bien les jeunes. On y trouve des personnages attachants qui évoluent dans des situations inspirées de la vie quotidienne. Une typographie et une mise en page aérées augmentent le plaisir de lire des textes où l'humour et la joie de vivre sont toujours présents. Chaque ouvrage comporte une note biographique sur l'auteur et l'illustrateur.

Les petits symboles placés devant chaque titre indiquent le degré de difficulté de l'ouvrage.

 texte moins long et plus facile.
texte plus long et moins facile.